D1109202

Les Animaux de la Savane racontés aux enfants

Écriture visuelle : Benoît Nacci
Mise en page : Lucile Jouret

Connectez-vous sur :
www.lamartiniere.fr

Les Animaux de la Savane racontés aux enfants

Textes et photographies de
Christine et Michel Denis-Huot

Dessins de
Florence Guiraud

De La Martinière
Jeunesse

Sommaire

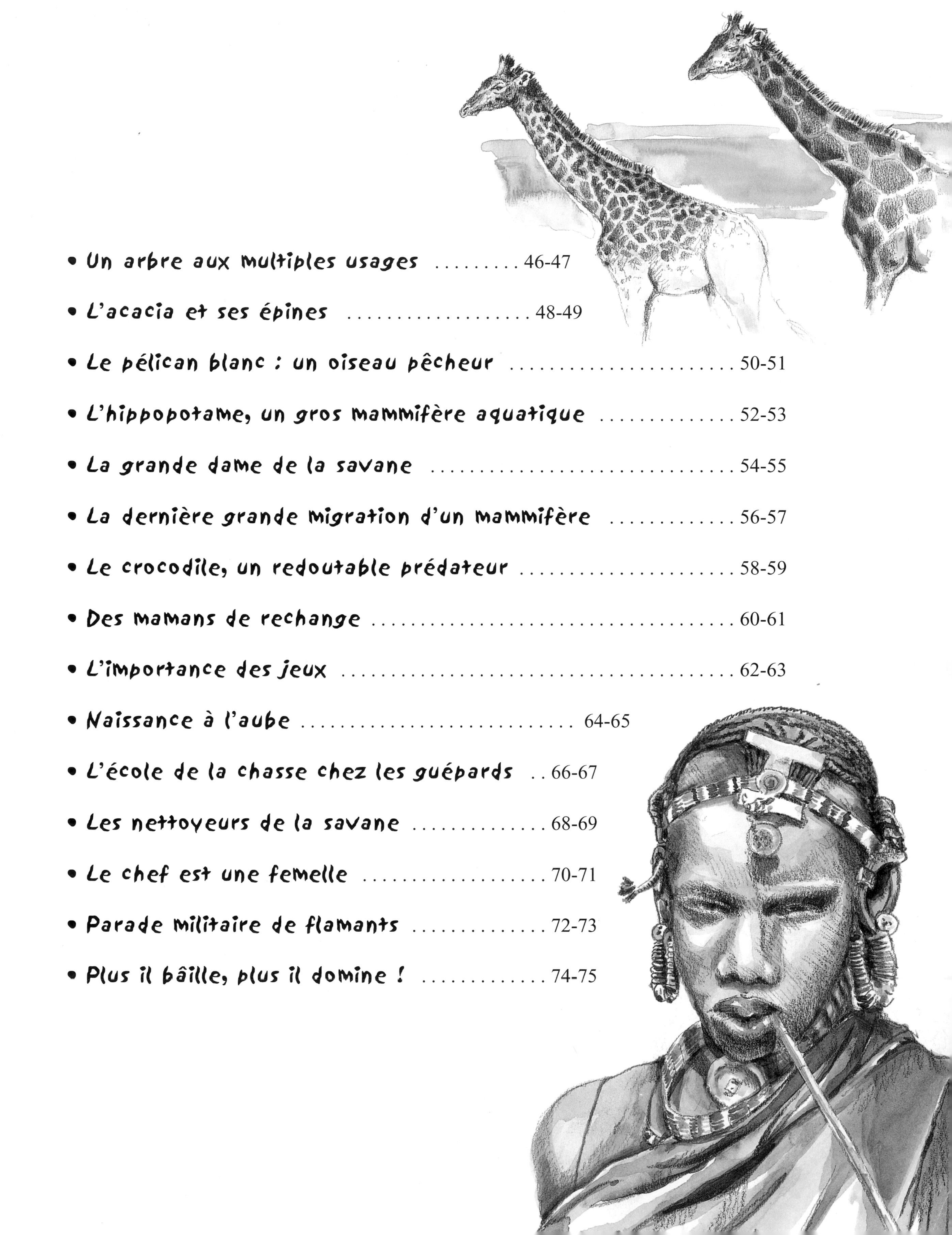

La savane...

Savane, ce mot fait rêver à des millions d'animaux au cœur de l'Afrique, peuplée de lions, d'éléphants, de gigantesques troupeaux d'herbivores...

Mais la savane, c'est aussi un type de végétation – de vastes étendues herbeuses plus ou moins arborées – associé à un climat tropical chaud, avec une alternance de saison sèche et de saison des pluies bien marquées. Elle existe en Afrique bien sûr, mais aussi en Australie et en Amérique du Sud. Il y a près de 25 millions d'années, ce n'est pas la savane mais une immense forêt qui recouvre le sol de l'Afrique orientale. Puis, des phénomènes volcaniques commencent à secouer le continent et créent un gigantesque fossé d'effondrement sur plus de 6 000 km, de la mer Rouge au Mozambique. Les bords abrupts de ce rift ont formé une véritable barrière arrêtant les pluies venant de l'ouest et asséchant l'est du rift. Les forêts ont alors disparu, les herbes se sont développées. La savane était née.

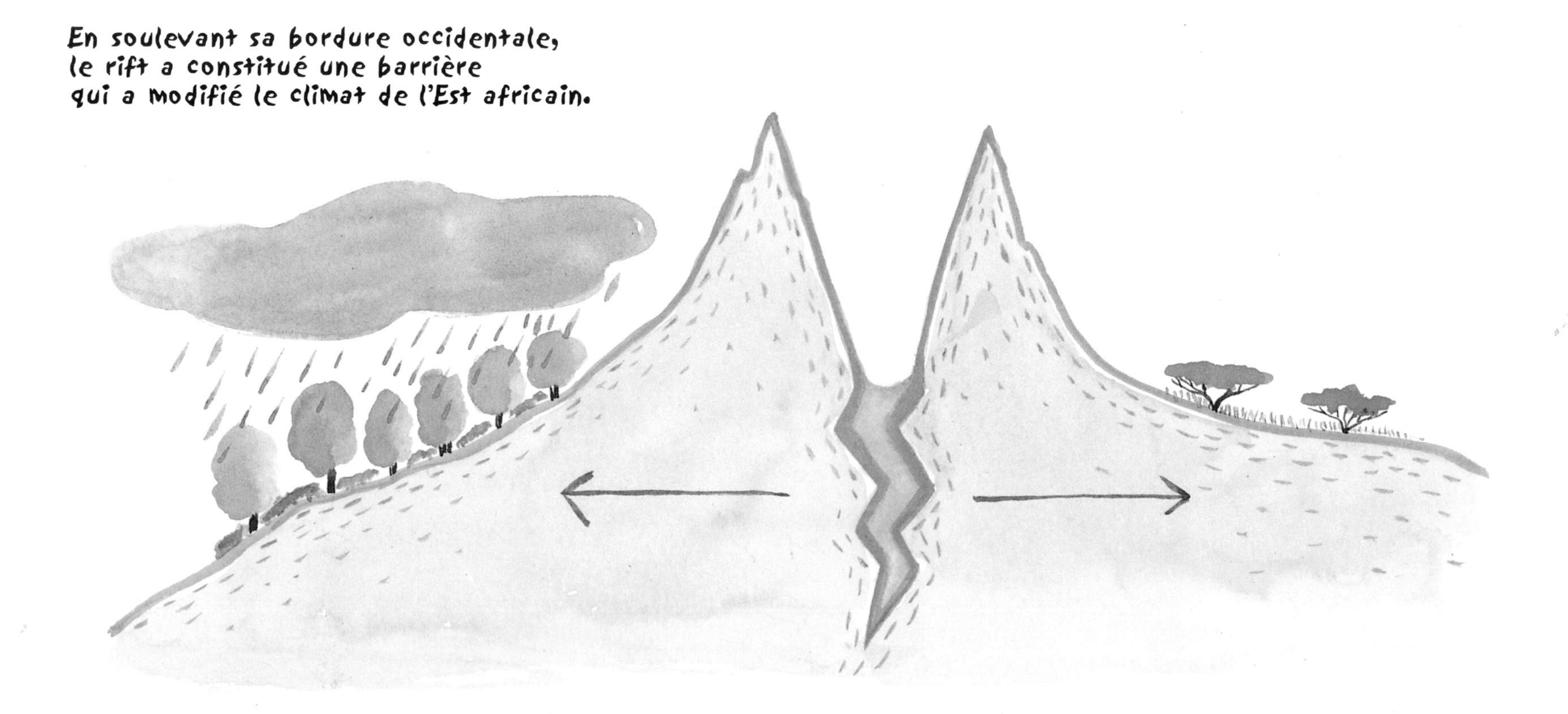

En soulevant sa bordure occidentale, le rift a constitué une barrière qui a modifié le climat de l'Est africain.

L'apparition de la savane a profondément transformé le paysage et la faune sauvage. Les animaux ont modifié leur comportement pour s'adapter à ce nouvel environnement. Actuellement, dans la savane d'Afrique de l'Est, au Kenya et en Tanzanie, vit la plus forte densité d'animaux au monde, grâce à la richesse exceptionnelle des herbes. Ces herbes, dont la hauteur varie de quelques centimètres à quatre mètres, nourrissent des millions d'herbivores, qui y ont élu domicile. Dans ces grands espaces ouverts, les herbivores ont dû développer dans le même temps leur aptitude à la course pour échapper aux prédateurs comme le guépard, le léopard ou le chacal. Et ces carnivores peuvent servir de repas aux super-prédateurs comme les lions et les hyènes. Tous ces animaux meurent et sont alors consommés par les nécrophages : vautours, hyènes... Et le cycle recommence.

Super-prédateurs

Prédateurs

Phytophages

Producteurs

De nos jours, la grande faune africaine se rencontre principalement dans les espaces protégés où elle vit à l'état sauvage. Mais la population des pays en forte croissance démographique convoite souvent ces terres pour l'agriculture et l'élevage. Cette pression sur la faune sauvage, aggravée par le braconnage, est une menace permanente pour sa survie.

Comment Michel et Christine travaillent-ils ?

Toutes les photos de ce livre ont été prises au Kenya et en Tanzanie, certaines récemment, d'autres il y a près de vingt ans. Il faut en effet des années de travail pour réunir des photos sur le comportement de chaque espèce.

Michel a toujours été passionné par les animaux et il a découvert l'Afrique de l'Est vers 18 ans. Tombé amoureux de ces grands espaces sauvages, ce qui lui plaît avant tout c'est de regarder vivre les animaux. Christine le rencontre en Tanzanie et ils continuent ensemble à voyager en Afrique.

Photographier les animaux, c'est bien sûr être en brousse un maximum de temps. Michel et Christine partent plusieurs semaines avec leur 4x4 sur des pistes souvent infernales, pour suivre jour après jour les animaux. Ils emportent avec eux des vivres, de l'eau, de l'essence en quantité, sans oublier des pièces détachées ! Chaque matin, ils se lèvent avant le jour pour surprendre les animaux à l'aube quand lions, léopards et hyènes sont encore très actifs. Ou bien ils recherchent la famille de guépards qu'ils ont laissée la veille au soir, au milieu de la plaine, car ces animaux se déplacent rarement la nuit. À leur arrivée, mère et jeunes dorment encore. Les photographes attendent leur réveil et guettent la bonne attitude, le comportement intéressant ou une chasse. Ils se

placent alors loin de leur sujet avec leurs puissants télé-objectifs, pour ne pas gêner l'action. La chasse est finie, l'excitation des prises de vue retombe. Les guépards mangent puis les jeunes s'approchent du 4x4 et s'endorment à l'ombre... du véhicule ! La chaleur monte, la lumière devient trop dure pour travailler. Les photographes quittent les guépards et trouvent un arbre pour se mettre à l'ombre tout en gardant les félins à portée de jumelles. La savane s'est assoupie. Plusieurs heures passent.

La lumière redevenue bonne, les photographes rejoignent les guépards. Mais travailler sur les animaux met la patience à rude épreuve : ils ne font rien d'intéressant de tout l'après-midi ! La nuit tombe, et il est temps d'aller dormir sous la tente de toit à l'abri des fauves, des éléphants, des buffles... et de la poussière.

Chaque jour passé en brousse est différent et le lendemain apportera de nouvelles découvertes, d'inoubliables rencontres et de belles photographies.

L’éléphant et sa trompe extraordinaire.

De nombreuses troupes d'éléphants vivent au pied et sur les flancs du mont Kilimandjaro, le plus haut sommet d'Afrique avec 5 895 m.

Les éléphants avancent silencieusement sur le sol desséché. Chaque adulte doit trouver les 150 kg de nourriture dont il a besoin chaque jour, des herbes, des feuilles, des racines, des fruits, du bois... En saison sèche, cela demande plus de seize heures par jour. Le pachyderme secoue longuement les touffes d'herbe jaunie contre sa patte pour en secouer la terre, mais cela ne semble pas le satisfaire. Il continue son chemin en direction des acacias et de leurs feuilles encore vertes. Gourmand, il tend sa trompe comme un long tentacule vers les branches les plus élevées. Il flaire et palpe les tiges avant de les casser doucement et de les porter à sa bouche. Il mange longtemps, puis se recouvre tout le corps de poussière pour protéger sa peau et se refroidir, la pulvérisant avec sa trompe. Cet appendice extraordinaire remplit énormément de fonctions. Il remplace le nez et les mains de l'homme, permet de s'arroser de poussière ou d'eau et sert même d'avertisseur sonore. Capable de délicatesse, la trompe peut aussi produire un effort massif comme arracher un arbre ou donner des coups redoutables.

Malgré leurs 5 tonnes, certains mâles se dressent sur leurs pattes arrière pour manger encore plus haut.

Le stress des mâles impalas.

Les femelles impalas figées, tous les sens en alerte, attendent le signal du mâle aux longues cornes pour fuir.

Les femelles impalas, gracieuses antilopes au pelage fauve, se déplacent tranquillement avec leurs jeunes, broutant de-ci, de-là. Le mâle court de l'une à l'autre tout en grognant pour les garder sous son emprise. Les femelles se dirigent vers un troupeau de jeunes mâles célibataires. Mais le stress du dominant atteint soudain des sommets : un prédateur approche. Toutes ses femelles fuient de manière désordonnée. Quand le calme se rétablit, les jeunes célibataires en profitent pour les courtiser. Furieux, le dominant frappe ses jeunes rivaux à coups de corne, tout en essayant de regrouper son harem.

Impalas et gazelles vivent en grands groupes. Le mâle territorial maintient le maximum de femelles sur sa parcelle et en exclut les autres mâles. Ces harems disparaissent quand la nourriture se fait plus rare. Les mâles dominants des espèces migratrices comme les gnous déplacent sans cesse leur territoire au fur et à mesure de l'avance de la migration. Ils ne font valoir leurs droits que lorsque le troupeau est à l'arrêt. Tous ces mâles dominants assurent l'essentiel des accouplements. Ils sont plus souvent que les autres victimes des prédateurs, car ils sont les derniers à quitter le territoire en cas d'attaque.

Les félins sont de redoutables prédateurs pour les impalas.

Le lion mâle, symbole de virilité !

Le mâle assure de trente à quarante accouplements par jour. Chacun d'eux est très bref et assez violent. La lionne gronde et grimace, tandis que le mâle lui mord la nuque.

Le soleil disparaît à l'horizon. Un lion mâle rugit. Son compagnon, couché plus loin en compagnie d'une lionne, répond aussitôt. Ces deux mâles, deux frères, se sont emparés récemment de la troupe de femelles qui vit là depuis des générations, après avoir chassé les mâles précédents lors d'un combat rapide et violent. Puis ils ont tué tous les jeunes lionceaux présents à leur arrivée pour que les lionnes soient de nouveau en chaleur et s'accouplent rapidement avec eux.

Le couple se lève. Les deux félins frottent leur tête l'une contre l'autre. Ils avancent sur quelques mètres, puis la lionne présente sa croupe au mâle. L'accouplement est rapide. Tous deux se recouchent. Vingt minutes plus tard, ils recommencent. Pendant trois jours, le couple reste à l'écart de la troupe, quasiment sans manger, regardant les gnous passer avec indifférence. Avec la mort des lionceaux, les chaleurs des lionnes sont pratiquement synchronisées, et les deux mâles vont maintenant pouvoir s'accoupler avec les autres femelles de la troupe. Ils ont ainsi toutes les chances de voir grandir et de protéger leurs propres lionceaux avant d'être eux aussi détrônés par des mâles plus forts qu'eux d'ici trois à quatre ans en moyenne.

Les lionceaux sont un enjeu majeur dans la vie des félins.

Combats de zèbres.

Les combats chez les animaux sont rarement mortels. La mort d'un adversaire n'est jamais voulue délibérément. Mais il arrive qu'un combattant meure des suites des blessures reçues.

Les zèbres broutent paisiblement. Seuls quelques jeunes mâles s'agitent. Ils se poursuivent, se cabrent, donnant des coups de tête et de sabot, mais sans se faire mal. Tout près d'eux, deux étalons adultes se dressent face à face sur les pattes arrière. Ils essaient de se mordre à la gorge, à la nuque et aux jambes. Le combat est sérieux : l'un des deux zèbres saigne. Finalement, le vaincu s'éloigne tandis que son adversaire s'approche de la femelle convoitée.

Les combats chez les animaux ont des enjeux importants : pour un zèbre, il s'agit de défendre sa position hiérarchique, de soumettre les femelles et de s'accoupler. Pour d'autres espèces, cela permet de conquérir un territoire ou de le conserver. Un animal ne se bat pas simplement parce que l'autre ne lui plaît pas ! Et, dans les sociétés très hiérarchisées comme chez les hippopotames, les éléphants, les girafes ou les primates, les postures d'intimidation, les actes de soumission, permettent de confirmer le statut de chacun sans qu'ils aient besoin de s'affronter. Autant éviter le combat qui peut être lourd de conséquences.

Le dessin des rayures des zèbres est différent pour chaque animal, comme une carte d'identité.

Le serpentaire, un étrange rapace.

Le couple de serpentaires est fidèle pour la vie et utilise le même nid plusieurs années de suite. Le nid peut atteindre jusqu'à 2,50 m de diamètre.

Le serpentaire marche à grandes enjambées au milieu des herbes courtes. Il tourne la tête en tous sens à la recherche de criquets, de petits rongeurs ou de serpents, la huppe redressée. Il repère un serpent et le frappe avec un pied, tout en battant des ailes et en prenant garde de ne pas se faire mordre. Ce rapace est particulier, ses pattes sont aussi longues que celles d'un échassier, et il préfère marcher dans les plaines plutôt que voler ! Quand il est attaqué, au lieu de prendre son envol, il tente de fuir à pied. Pourtant, il est capable de voler à de hautes altitudes, et la parade nuptiale est faite de figures aériennes.

Le serpentaire s'envole vers son nid situé sur la cime d'un acacia plat à près de 10 m du sol. Sa compagne a couvé les trois œufs pendant six semaines. Maintenant, les oisillons ont besoin de beaucoup de soins. Leur développement est long. Les parents doivent les nourrir au nid pendant onze semaines. Ils découpent la nourriture en petits morceaux avant de la leur donner. Quand les jeunes s'envoleront, ils ressembleront beaucoup à leurs parents.

Le serpent est un des mets préférés du serpentaire.

Difficile d'élever seule ses jeunes !

Aveugles, les nouveau-nés léopards choisissent une tétine, l'imprègnent de leur odeur afin de la repérer et y restent fidèles. Cela leur évite de se battre au moment de la tétée.

Le mâle léopard a rejoint la femelle en chaleur. Pendant quelques jours, ils chassent ensemble et s'accouplent. Puis le mâle repart. Trois mois et demi passent. La femelle cache ses deux nouveau-nés dans des rochers. Chaque fois que leur mère part chasser, ils restent seuls, immobiles et silencieux. Vers 1 mois, la femelle commence à les emmener au soleil devant la cachette. Ils s'habituent peu à peu à leur environnement et s'entraînent à grimper aux arbres. Ils deviennent rapidement très agiles. Leur mère est toujours sur le qui-vive pour éviter que lions ou hyènes ne s'approchent d'eux. À 3 mois, les jeunes léopards sont sevrés. La femelle étant seule pour les élever, elle doit chasser souvent pour pouvoir les nourrir.

En grandissant, les jeunes léopards deviennent agressifs l'un envers l'autre. Les repas s'accompagnent de feulements et de coups de griffe, et leur mère est obligée de les séparer. Vers 15 mois, le petit mâle rompt tous les liens familiaux. La jeune femelle, plus fragile, reste quelques mois de plus, puis s'installe sur un territoire contigu à celui de sa mère.

Mener seule les jeunes jusqu'à l'indépendance est une tâche difficile. La femelle guépard est, elle aussi, confrontée aux mêmes problèmes.

Parades nuptiales des oiseaux.

À gauche, les deux mâles autruches se disputent un territoire ; à droite, le couple de grues couronnées reste fidèle tout au long de sa vie.

Des appels résonnent dans la nuit, semblables aux rugissements des lions. Les autruches sont en pleine saison des amours, et les mâles dominants crient pour attirer vers eux les femelles. Ils se sont choisi un territoire et un nid, au milieu d'une plaine, leur cou et leurs pattes ont pris une couleur vive. Quand une femelle approche, ils agitent les ailes, les secouent alternativement, puis se laissent tomber au sol tout en gonflant leur cou. Cette parade, semblable à une danse, est destinée à séduire leur compagne. Et tout cela fonctionne bien, la femelle joue avec ses ailes elle aussi, puis se couche au sol et les deux autruches s'accouplent.

Chez d'autres oiseaux, les parades nuptiales prennent des formes différentes, mais toutes ont pour but de faciliter l'accouplement et de resserrer les liens entre les partenaires. Certains mâles chantent ou apportent des offrandes sous forme de nourriture à la femelle, d'autres comme les aigles dessinent de véritables figures aériennes. Les couples de grues couronnées, quant à eux, dansent en faisant des bonds spectaculaires de près de 2,50 m de haut, les ailes écartées.

L'outarde kori mâle, pour séduire sa compagne, gonfle son jabot et les plumes de sa queue.

La toilette des animaux.

Comme les pique-bœufs, le jacana, avec ses pattes aux doigts immenses, vient se percher sur le dos des hippopotames et les « toilette » !

Un hippopotame mâle se tient près d'un grand trou boueux. Sa tête et son dos sont couverts d'oiseaux aux griffes fortes et acérées. Ce sont des pique-bœufs. Ils se perchent aussi sur le corps des girafes, des zèbres, des rhinocéros ou des buffles. Avec leur bec, ils extraient du pelage de leur hôte les insectes parasites, comme les tiques, qui les démangent et leur apportent des maladies. Les pique-bœufs aident donc les animaux à faire leur toilette et ils désinfectent aussi leurs plaies en mangeant les tissus morts qui entourent les blessures. Et, en plus, ils les avertissent d'un danger en s'envolant brutalement.

L'hippopotame a décidé de se coucher dans la boue devant lui ; il en imprègne tout son corps en se tournant et se retournant longuement. Les éléphants adorent aussi ces bains de boue dans lesquels ils jouent avec beaucoup de plaisir. La boue qui couvre le corps des animaux sèche ensuite rapidement au soleil. Elle forme alors une croûte qui étouffe les insectes logés sous la peau et qui empêche les piqûres des taons et des mouches. Ces bains sont donc nécessaires à l'hygiène des hippopotames ou des éléphants.

Les pique-bœufs font aussi la toilette des buffles.

De cachette en cachette.

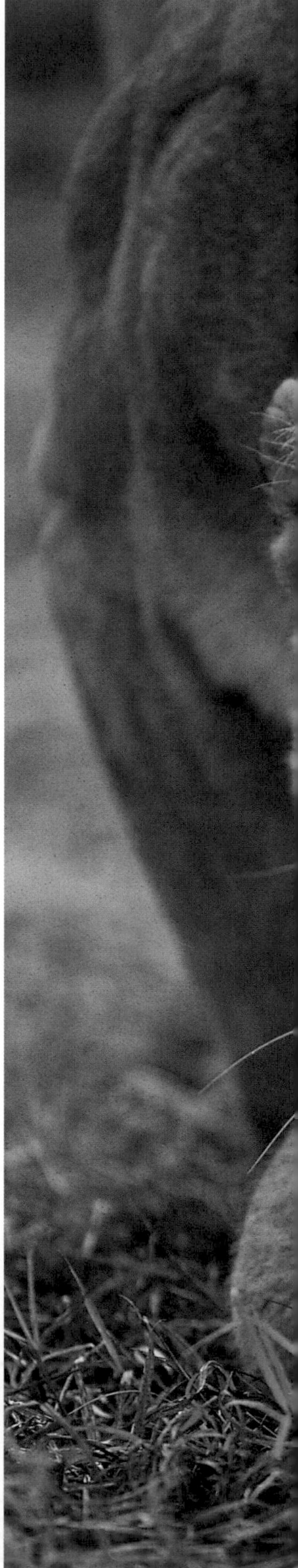

Le félin doit faire plusieurs voyages, un bébé après l'autre dans la gueule. Plus les lionceaux grandissent, moins ils apprécient ces déplacements, et ils miaulent avec énergie.

La lionne s'isole de ses compagnes pour donner naissance à ses bébés. Elle les cache soigneusement dans un creux de rivière à sec ou dans des rochers. Les deux premières semaines, les lionceaux, aveugles, ne pensent qu'à dormir ou téter leur mère. Celle-ci est obligée de les laisser seuls, sans protection, pour partir se nourrir. Il arrive que des buffles les écrasent en son absence ! De nombreux autres dangers les guettent. Hyènes, léopards ou lions étrangers peuvent les découvrir et les tuer. Prudente, la lionne change ses petits de cachette tous les trois ou quatre jours pour que leur odeur n'attire pas ces prédateurs. Pour cela, elle les transporte par l'épaule un à un dans sa gueule. Les femelles hyènes, guépards ou léopards adoptent la même tactique et déplacent elles aussi leurs bébés de cachette en cachette. Mais les lionnes ne sont pas toujours de bonnes mères, certaines ne savent pas compter et oublient des bébés derrière elles tandis que d'autres ne savent plus où elles les ont laissés !

Les lionceaux grandissent et commencent à se déplacer seuls. Leur mère les emmène rejoindre la troupe vers l'âge de 6 semaines.

Des espèces nombreuses et variées.

Les buffles des deux sexes ont des cornes. Celles des mâles forment un « casque » sur tout le front. Chez le grand koudou, seuls les mâles ont des cornes pouvant atteindre 1,80 m de long.

Les Bovidés sont extrêmement nombreux dans la savane. Dans cette grande famille sont regroupés les buffles, dont les mâles pèsent près de 800 kg, les gazelles, les oryx, les gnous, les impalas et les petits dik-diks, qui ne pèsent pas plus de 5 kg. Tous les mâles ont des cornes, de taille et de forme très variées, qui sont principalement utilisées lors des combats pour le territoire et pour les femelles. Ces cornes ont aussi un rôle de défense contre les prédateurs. L'oryx, avec ses cornes en forme d'épée, peut embrocher et tuer un lion.

Tous les Bovidés n'ont pas le même régime alimentaire : certains mangent de l'herbe, d'autres des feuilles. Cette répartition n'est pas stricte. Ainsi, les impalas se nourrissent d'herbes pendant les pluies et de feuilles pendant la saison sèche. En revanche, tous les Bovidés sont des ruminants. L'animal, après avoir brouté des herbes ou des feuilles, les broie rapidement, sans les mâcher, puis les avale. La nourriture est ensuite brassée dans sa panse avec plusieurs litres de salive et attaquée par des bactéries pendant quelques heures. Puis les restes sont renvoyés dans la bouche et sont de nouveau mâchés avant de repartir dans l'estomac et l'intestin. Tout cela dure très longtemps !

Bubale, gazelle de Thomson, gazelle-girafe ont des cornes très différentes.

Le guépard, rapide comme l'éclair.

Le guépard est entièrement façonné pour la course. Même à pleine vitesse, il peut tourner brusquement grâce à l'adhérence de ses griffes et à la souplesse de sa colonne vertébrale.

Monté sur une termitière, le guépard observe la plaine pour repérer ses proies. Il avance à découvert vers un troupeau de gazelles qui s'enfuient à son approche. Le félin ne repère aucun jeune, aucun animal blessé. Alors, il s'abstient de se lancer à leur poursuite et se couche dans les herbes. Il va attendre patiemment et se faire oublier. Progressivement, les antilopes se remettent à brouter. L'alerte est terminée. D'autres gazelles se dirigent vers le félin, ignorantes du danger. Le guépard se fige et se prépare à attaquer. Quand les antilopes sont assez proches de lui, il se redresse et s'élance tandis que les gazelles, affolées, fuient. En deux secondes, le voilà déjà lancé à près de 75 km/h, puis il atteint la vitesse extraordinaire de 105 km/h. C'est le plus rapide des animaux terrestres ! La gazelle la plus proche de lui zigzague pour lui échapper, mais rien n'y fait. En moins de 400 m, le guépard a rattrapé sa proie et la fait basculer au sol. Il dépense tellement d'énergie lors du sprint qu'il ne pourrait pas, de toute façon, la poursuivre plus longtemps. Puis il étouffe sa victime et se repose.

Le guépard guette sa proie sur la termitière.

Des chasseurs longtemps méconnus.

Les hyènes tachetées, au pelage hirsute, à l'arrière-train tombant, à l'odeur nauséabonde, sont des chasseurs redoutables de la savane africaine.

Dans la nuit, trois hyènes excitées poussent des cris, un rire lugubre à vous glacer le sang. Ces appels sont destinés à faire venir les autres membres de leur clan. Elles pourchassent un gnou et harassent l'animal épuisé. L'une d'elles le bloque à la patte tandis que les autres commencent à le dévorer. Mais ce sont deux lions mâles alertés par les cris qui arrivent. Les hyènes, pas assez nombreuses, se font chasser de leur festin par les félins. On a longtemps cru que les hyènes n'étaient que des charognards qui passaient leur temps à voler la proie des lions. Mais c'est souvent l'inverse qui se produit. Les hyènes mangent aussi bien des proies vivantes que des cadavres. Leurs mâchoires ont une puissance terrible qui leur permet de broyer les os, et leur appareil digestif supporte toutes sortes d'aliments. Seuls les sabots, les cornes, quelques morceaux d'os et les poils ne sont pas digérés. Ils sont régurgités sous forme de boulettes.

Les hyènes sont des carnivores très sociaux qui vivent en clans d'une cinquantaine d'individus où les femelles dominent les mâles, plus petits qu'elles. Les jeunes sont en général élevés dans un terrier collectif.

Les hyènes sont des mères attentives.

Des bébés babouins très entourés.

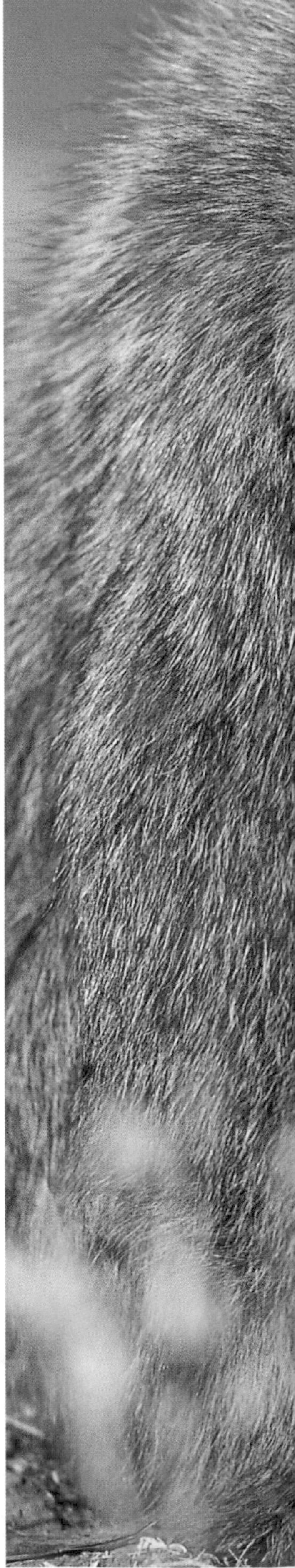

Le bébé tout couvert de longs poils noirs s'accroche instinctivement dès sa naissance aux poils de la poitrine de sa mère. Comme cela, il ne la gêne pas dans ses activités.

Plusieurs dizaines de babouins marchent à la recherche de nourriture. Les femelles et leurs petits restent au centre de la troupe, protégés par les mâles, plus grands et plus forts. Certains jeunes sont assis sur le dos de leur mère en position de jockey. La chaleur monte. Les singes se reposent. Des femelles entourent une mère et son nouveau-né et les toilettent avec leurs doigts et leurs incisives. Ce toilettage est très prisé des babouins. Il renforce les liens entre tous les membres de la troupe. Un grand mâle ami vient rejoindre la mère et participe aux soins donnés au bébé. De jeunes mâles curieux s'approchent pour voir le bébé, alors le grand mâle leur montre ses impressionnantes canines en signe d'intimidation et ils s'éloignent. Chaque femelle adulte développe des relations d'amitié avec deux ou trois mâles de la troupe qui s'occupent d'elle et de ses petits. C'est à eux qu'elle donne la préférence pour les accouplements.

Si le jeune babouin est une femelle, il restera dans sa famille une fois adulte et occupera une place hiérarchique semblable à celle de sa mère. Petit mâle, il quittera sa troupe de naissance vers 8 ans et devra s'intégrer dans une autre troupe et se faire des amies.

Mâle montrant les dents.

Les autruches : des parents attentifs.

Le plumage des femelles et des jeunes est marron tandis que celui des mâles est noir et blanc. La différence entre les sexes n'apparaît que vers 2 ans.

Un couple d'autruches couve en alternance son nid empli d'œufs. Ils ont été pondus à plusieurs jours d'intervalle par la femelle du couple mais aussi par d'autres femelles de passage. Mais tous arrivent à terme et éclosent presque en même temps, car le couple n'a commencé à couver qu'à la fin de la ponte.

Les coquilles se fendillent. Les autruchons mettent plusieurs heures à s'extraire complètement de leur prison. Peu de temps après la fin de l'éclosion, toute la famille commence à se déplacer. Les oisillons picorent quelques graines. Ils s'abritent la plupart du temps sous les ailes d'un des adultes, ce qui les protège du soleil le jour et du froid la nuit.

Un prédateur approche des jeunes. Le mâle joue le blessé en laissant pendre son aile tout en courant en zigzag, ce qui intrigue l'intrus. La femelle en profite pour éloigner les autruchons, qui se dispersent et s'aplatissent au sol, sans bouger. Leur plumage leur permet de passer quasiment inaperçus. Mais peu d'entre eux survivent jusqu'à l'âge où ils ne craignent plus les prédateurs, qu'ils évitent en courant très vite à défaut de pouvoir voler.

Les autruchons tapent sur la coquille avec le bout de leur bec pour la casser.

Tués pour leurs cornes.

Les rhinocéros d'Afrique ont deux cornes. Elles apparaissent chez le jeune à partir de 2 ans. Certaines atteignent une longueur considérable, jusqu'à 1,60 m.

Le rhinocéros est un végétarien paisible même s'il est capable de charger souvent sans raison, car sa forte myopie ne lui permet pas de distinguer clairement ce qui est à plus de 30 m de lui ! Pourtant, les rhinocéros ont été massacrés à grande échelle sur tout le continent africain, comme les éléphants. Les braconniers les tuent pour leurs cornes. Celles-ci sont vendues pour des sommes considérables en dehors d'Afrique. Réduites en poudre, elles sont utilisées dans la médecine traditionnelle chinoise et comme aphrodisiaques. Est-ce parce que le mâle rhinocéros s'accouple pendant plus d'une heure, plusieurs fois par jour ? Les cornes sont aussi l'objet d'une autre convoitise. Au Yémen, elles servent à fabriquer des manches de poignard, les djambias, offerts aux garçons des familles riches quand ils atteignent l'âge d'homme. Le rhinocéros, comme tant d'autres espèces, est en danger.

Pour protéger les rhinocéros, certains ont essayé de couper de manière préventive leurs cornes. Mais celles-ci, constituées de kératine, repoussent comme les ongles ou les cheveux et les animaux sont perturbés par l'absence de leurs appendices qui jouent un rôle dans la défense des jeunes par leur mère et dans la vie sexuelle des mâles.

Le poignard des Yéménites, la djambia.

Le girafon : un petit déjà grand !

Les marques de tendresse entre la femelle et son girafon sont peu fréquentes. Elle broute souvent loin de lui tout en le gardant à portée de vue.

La femelle girafe est seule. Elle va et vient, énervée. Elle se met à trembler et, soudain, de longues pattes sortent de son arrière-train. Elle est en train d'accoucher. Tout en restant debout, elle expulse son bébé, qui fait une chute de près de 2 m de haut... sans dommage. Quelques secondes plus tard, le girafon commence à redresser son cou. Sa mère l'accueille à grands coups de langue râpeuse pour l'encourager à se lever. Il essaie de se dresser sur ses grandes jambes fines, puis vacille. Après plusieurs tentatives infructueuses, il réussit à se mettre debout. Encore faible, il peut enfin atteindre les tétines entre les pattes de sa mère. Heureusement qu'il mesure déjà près de 2 m de haut à la naissance ! Après cette première tétée, la femelle s'éloigne de son bébé pour aller brouter quelques feuilles. La girafe reste vigilante, prête à défendre son petit à violents coups de sabot contre les hyènes ou les lions. Le girafon grandira très vite, près de 3 cm par jour au début ! Le lait de la girafe étant très riche, il n'aura pas besoin de téter souvent.

Naissance du girafon.

Un arbre aux multiples usages.

Le léopard, encore appelé panthère, passe souvent beaucoup de temps dans les arbres. Il chasse au sol toutes sortes de proies comme les antilopes, les lièvres, les damans et... les chiens.

Au petit jour, la femelle léopard déambule au milieu des buissons. Au passage, elle frotte son arrière-train en divers points stratégiques. Ces marquages ont une odeur très forte. En les reniflant, les autres léopards sauront qu'elle est une jeune femelle à la recherche de compagnons pour s'accoupler. Puis, d'un bond, elle grimpe le long d'un tronc quasiment vertical en plantant ses griffes puissantes. Grâce à ses larges pattes, elle se déplace avec assurance sur les branches fines pour rejoindre la carcasse d'impala mâle qu'elle a montée dans sa gueule pendant la nuit, juste après l'avoir tué. Pourtant, l'antilope est bien plus lourde qu'elle ! Les léopards vivant dans les zones où hyènes et lions sont nombreux ont tous l'habitude de mettre leurs proies en hauteur, à l'abri de ces prédateurs. La femelle léopard mange tranquillement, puis va boire dans un fossé. Elle s'installe ensuite dans la partie la plus touffue de l'arbre qui lui apporte une ombre très dense. Elle va dormir là-haut toute la journée, quasiment invisible. Quand la chaleur sera moins forte, elle retournera se nourrir. L'arbre va rester son refuge pendant plusieurs jours.

Le léopard monte sa proie dans l'arbre pour la mettre à l'abri et la manger.

L'acacia et ses épines.

La gazelle-girafe tient son nom de son long cou. C'est la seule gazelle qui ne mange pas d'herbes ! En saison sèche, elle recherche les arbustes aux feuillages toujours verts.

Une gazelle-girafe est dressée sur ses pattes arrière. Dans cette position, et avec son long cou, elle peut cueillir les feuilles les plus tendres et les plus hautes des buissons d'acacias. Ses lèvres agiles se faufilent avec précision entre les épines.

Les épines et les piquants ont pour rôle de défendre le feuillage des acacias contre le broutage des herbivores, mais ils sont souvent inopérants, surtout contre la girafe. Sa langue, couverte d'une couche cornée, peut s'étirer sur plus de 30 cm en dehors de la bouche. Très mobile et très souple, elle se creuse en gouttière et se faufile à travers les épines à la recherche des feuilles préférées. Ses lèvres garnies de longs poils tactiles analysent les pousses et transmettent à la langue de précieuses informations. Tout un système qui permet à la girafe de ne pas craindre les épines !

L'acacia siffleur a développé un système de défense particulier. Il s'associe avec des fourmis qui vivent dans de petites boules creuses situées à la base de ses épines et se nourrissent des sécrétions produites par l'arbre. Dès qu'un animal commence à brouter l'acacia, les fourmis l'attaquent. Même la girafe, gênée, ne reste pas longtemps.

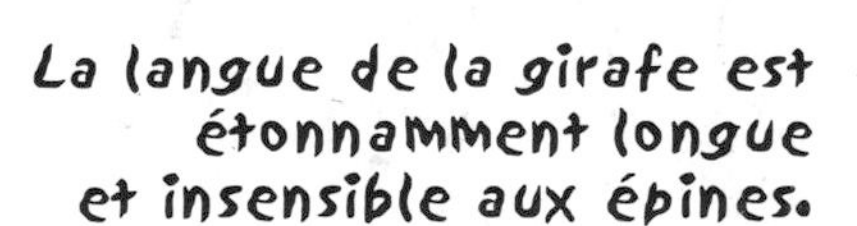

La langue de la girafe est étonnamment longue et insensible aux épines.

Le pélican blanc : un oiseau pêcheur.

Les pélicans blancs sont des oiseaux très grégaires qui pêchent en flottille. Chaque oiseau consomme plus de 1 kg de poissons par jour.

Sur le lac, une vingtaine de pélicans blancs nagent regroupés en dessinant comme un fer à cheval. C'est leur manière de pêcher ! Tous ensemble, en rythme, ils plongent la tête dans l'eau tout en resserrant lentement le cercle. Des poissons s'y retrouvent emprisonnés. Alors, les pélicans ramassent leur pêche avec leur bec qui leur sert d'épuisette. La moitié inférieure du bec est une poche souple qui se distend de façon incroyable. Elle peut contenir jusqu'à 10 litres d'eau !

Les pélicans nichent en grandes colonies sur des îles isolées, souvent loin des lieux de pêche. Les parents couvent les œufs chacun leur tour, le temps d'aller chercher leur nourriture. Les oiseaux se regroupent en bandes et cherchent un ascendant thermique pour monter, puis volent ensuite sans effort comme des planeurs. À 1 mois, les jeunes quittent le nid familial et forment des crèches où se retrouvent une multitude d'oisillons tout gris qui font un vacarme assourdissant. Mais chaque parent sait reconnaître sa progéniture quand il vient la nourrir. Il ne transporte pas de poissons dans sa poche, mais régurgite ce qu'il a avalé sur les lieux de pêche. Les jeunes mettent souvent directement leur tête dans la poche pour consommer plus vite leur repas !

Le pélican est un grand oiseau pesant plus de 10 kilos.

L'hippopotame, un gros mammifère aquatique.

Les hippopotames s'installent souvent dans des mares temporaires, dont certaines sont couvertes de plantes aquatiques. Mais cette nourriture ne les intéresse pas.

Les hippopotames passent pratiquement toute la journée dans l'eau. Seuls leurs yeux, leurs narines et leurs oreilles dépassent de la surface comme des périscopes. Ils plongent plusieurs minutes d'affilée mais ne sont pas pour autant de bons nageurs. Ils préfèrent se laisser flotter ou se déplacer en marchant au fond de l'eau. Quand ils nagent, ils le font à la manière des grenouilles en se propulsant avec leurs pattes arrière. Vivre dans l'eau permet à ces mastodontes d'économiser leur énergie et donc de peu manger. De toute façon, ces grosses bêtes sont fragiles : elles ne supportent pas longtemps le soleil qui dessèche leur peau. Celle-ci sécrète un liquide rougeâtre qui la protège, à la manière d'une crème solaire. Malgré cela, les hippopotames doivent retourner s'immerger fréquemment ou se vautrer dans la boue, ce qu'ils adorent faire. D'une manière étonnante, ils ne mangent pas ou peu de plantes aquatiques et se nourrissent d'herbe. À la nuit tombée, ils quittent l'eau les uns après les autres en suivant toujours les mêmes sentiers, creusés de génération en génération. Il leur faut trouver près de 50 kg d'herbe par nuit qu'ils tranchent au ras du sol avec leurs grosses lèvres, comme une tondeuse à gazon.

La grande dame de la savane.

La girafe n'aime pas écarter les pattes avant et se pencher. Dans cette position inconfortable, elle est vulnérable : des lions peuvent lui sauter au cou ou au museau !

Une girafe avance de sa démarche chaloupée au milieu des acacias. Avec sa grande taille, elle domine tous les autres animaux. Un mâle peut mesurer jusqu'à 5,80 m des sabots au sommet des cornes ! La grande dame est capable de repérer le danger de très loin, comme une véritable sentinelle. D'autres girafes sont en train de manger, dispersées dans la plaine. Les animaux d'un groupe n'ont pas besoin d'être proches les uns des autres, ils restent en contact par la vue. Pour atteindre les tendres bourgeons des acacias, les girafes tendent leur long cou qui n'est composé que de sept vertèbres comme chez tous les autres mammifères, mais chacune mesure 30 cm de long ! Les girafes sont les seuls herbivores, mis à part quelques éléphants à consommer les feuilles élevées des arbres. Mais il n'y a pas que des avantages à être aussi grand ! Pour boire ou se nourrir d'herbes dans les grandes plaines sans arbres, la girafe doit écarter les pattes avant et se pencher. Et quand elle s'assoit pour dormir, elle ne plonge dans un sommeil profond que quelques minutes à la fois par crainte des prédateurs.

Il y a plusieurs sous-espèces de girafes. Pour chacune, le dessin des taches de la robe est différent.

La dernière grande migration d'un mammifère.

Quand les gnous arrivent au bord de la rivière, l'affolement s'empare des premiers poussés par la multitude des suivants. Ils sautent, et beaucoup se blessent ou se noient.

Au mois de mai, d'immenses troupeaux de gnous sont rassemblés dans le sud du Serengeti, en Tanzanie. Les plaines d'herbe rase sont sèches et, comme sur un signal caché, les bêtes se mettent en marche. Elles cheminent lentement, tête basse, vers le nord en se suivant, front contre croupe, dans un concert de meuglements. Ces files interminables d'animaux, pouvant atteindre 40 km de long sans interruption, dessinent de profonds sillons sur le sol. Des zèbres et des gazelles accompagnent les gnous, qui vont parcourir près de 800 km pour rejoindre Massaï-Mara, au Kenya, où ils vont trouver de meilleurs pâturages et de l'eau. Beaucoup de bêtes meurent pendant cette migration, victimes des nombreux prédateurs qui les guettent et des obstacles naturels comme la traversée des rivières. En octobre, les gnous refont le même parcours dans l'autre sens.

Année après année, ce phénomène de migration recommence. Il concerne près d'un million et demi d'herbivores. L'Afrique de l'Est est sans doute la dernière région du monde où l'on peut encore assister à une telle migration de mammifères. Autrefois, trente millions de bisons migraient en Amérique.

De nombreuses espèces migrent, notamment les zèbres.

Le crocodile, un redoutable prédateur.

Les dents du crocodile sont très aiguisées. Quand l'une d'elles casse, une nouvelle pousse aussitôt. La présence de cristaux fait briller l'iris de ses yeux d'un éclat métallique.

Des crocodiles, certains mesurant plus de 5 m de long, sont couchés sur un banc de sable au soleil, la gueule ouverte. Soudain, tous se jettent à l'eau, car un grand troupeau de gnous approche de la rivière. Ils se concentrent sur la berge, mais hésitent longtemps à traverser avant de se décider. Mais, déjà, les premiers herbivores se jettent dans la rivière. Les redoutables reptiles sont en embuscade, ne laissant dépasser de l'eau que leurs narines et le haut de leurs têtes. Dans une grande gerbe d'eau, l'un d'eux saisit un jeune gnou dans sa mâchoire et l'entraîne sous l'eau pour le noyer. Puis il va tranquillement avaler sa nourriture sans mâcher, os compris.

Le régime alimentaire du crocodile change avec l'âge : très jeune, il mange des insectes, puis des poissons. Quand il dépasse la taille de 3,50 m, il s'attaque aussi à de gros mammifères. Un adulte ne fait en moyenne que 50 repas par an. Cela lui suffit pour assurer sa croissance qui continue toute sa vie. Il stocke une grande partie de sa nourriture sous forme de graisse. Un crocodile âgé peut même rester exceptionnellement deux ans sans manger.

Quand les gnous traversent les rivières, le crocodile est à l'affût.

Des mamans de rechange.

Vers 2 ans, les lionceaux mâles sont chassés de la troupe par leurs aînés. Ils vivent alors en nomades plusieurs années avant d'avoir la force de conquérir une troupe.

Une dizaine de jeunes lionceaux sont restés seuls dans les hautes herbes. Les lionnes sont parties chasser plusieurs heures auparavant, suivies par les mâles, et ils ont faim. Une des lionnes rentre, la gueule ensanglantée. Aussitôt, tous se précipitent vers elle. Ils se frottent contre elle, grondent et cherchent à téter. Elle finit par se laisser faire et s'allonge. C'est la bataille pour les tétines, une mêlée confuse où les lionceaux un peu plus vieux ont le dessus. La lionne, agacée, montre rapidement les dents, car les petits voraces lui font mal. Les lionceaux ont le rare privilège de pouvoir téter l'ensemble des mères de la troupe qui sont toutes apparentées entre elles, même si chacune a tendance à privilégier ses propres petits.

Les autres lionnes rentrent, et les jeunes lionceaux peuvent enfin rejoindre leur mère respective et téter plus tranquillement. La proie tuée n'était pas grosse. Les grands lionceaux partis avec les lionnes n'ont rien eu à manger. Les adultes se servent toujours en premier, les mâles d'abord, puis les femelles. Et, quand les proies se font rares, de nombreux lionceaux meurent de faim.

Pour devenir un homme, le jeune garçon Massaï devait tuer un lion.

L'importance des jeux.

Pendant que le reste de la troupe se repose au sol, les jeunes babouins passent beaucoup de temps à jouer dans les arbres.

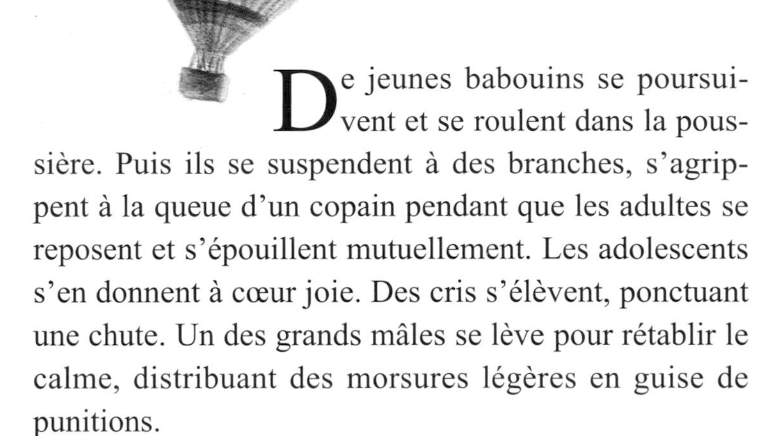

De jeunes babouins se poursuivent et se roulent dans la poussière. Puis ils se suspendent à des branches, s'agrippent à la queue d'un copain pendant que les adultes se reposent et s'épouillent mutuellement. Les adolescents s'en donnent à cœur joie. Des cris s'élèvent, ponctuant une chute. Un des grands mâles se lève pour rétablir le calme, distribuant des morsures légères en guise de punitions.

Ces jeux sont très importants pour le développement du jeune animal. Il fortifie ainsi ses muscles tout en développant des qualités utiles pour sa vie d'adulte. D'ailleurs, le petit mâle se bagarre plus qu'une femelle, il ne pense qu'à courir après les autres jeunes de son âge tandis que cette dernière prend plaisir à manipuler les bébés. C'est au travers du jeu que le petit babouin découvre son environnement et les relations sociales dans la troupe.

De nombreuses autres espèces sont aussi très friandes de jeux comme les lions et les éléphants, les femelles adultes n'hésitant pas, elles aussi, à s'amuser. Mais tous, jeunes et adultes, économisent leurs forces et s'arrêtent de jouer dès que la nourriture se fait rare.

Les éléphanteaux sont très joueurs.

Naissance à l'aube.

Le faon nouveau-né, qui tient à peine sur ses pattes, doit pourtant rapidement se cacher dans les herbes. Sa mère l'encourage en le léchant longuement.

Une gazelle de Thomson vient de donner naissance à un faon, elle se tient à l'écart du groupe pour qu'il ne soit pas piétiné par les autres. Elle mange le placenta, nettoie son petit et le déplace de quelques mètres afin de ne pas laisser d'odeur suspecte qui pourrait attirer les prédateurs. Le nouveau-né reste seul, caché dans la végétation. La coloration de son pelage facilite son camouflage. La femelle lui rend visite plusieurs fois par jour pour le faire téter, puis mange ses excréments et boit son urine. Malgré toutes ces précautions, les chances de survie des nouveau-nés sont très faibles. Le matin, les hyènes font le tour des touffes d'herbe à la recherche des faons nés pendant la nuit. Les guépards, eux aussi, les traquent. Chasser un bébé gazelle ne comporte aucun risque et une réussite de cent pour cent. Les jeunes rejoignent le troupeau quand ils courent assez vite pour s'enfuir avec les adultes en cas de danger.

D'autres espèces, comme le gnou, adoptent une tactique de sauvegarde différente. Ils synchronisent les naissances sur moins de trois semaines. Cela permet à beaucoup de nouveau-nés d'échapper aux prédateurs qui finissent par être rassasiés. Les vingt pour cent de gnous qui viennent au monde en dehors de cette période n'ont quasiment aucune chance de survivre.

L'école de la chasse chez les guépards.

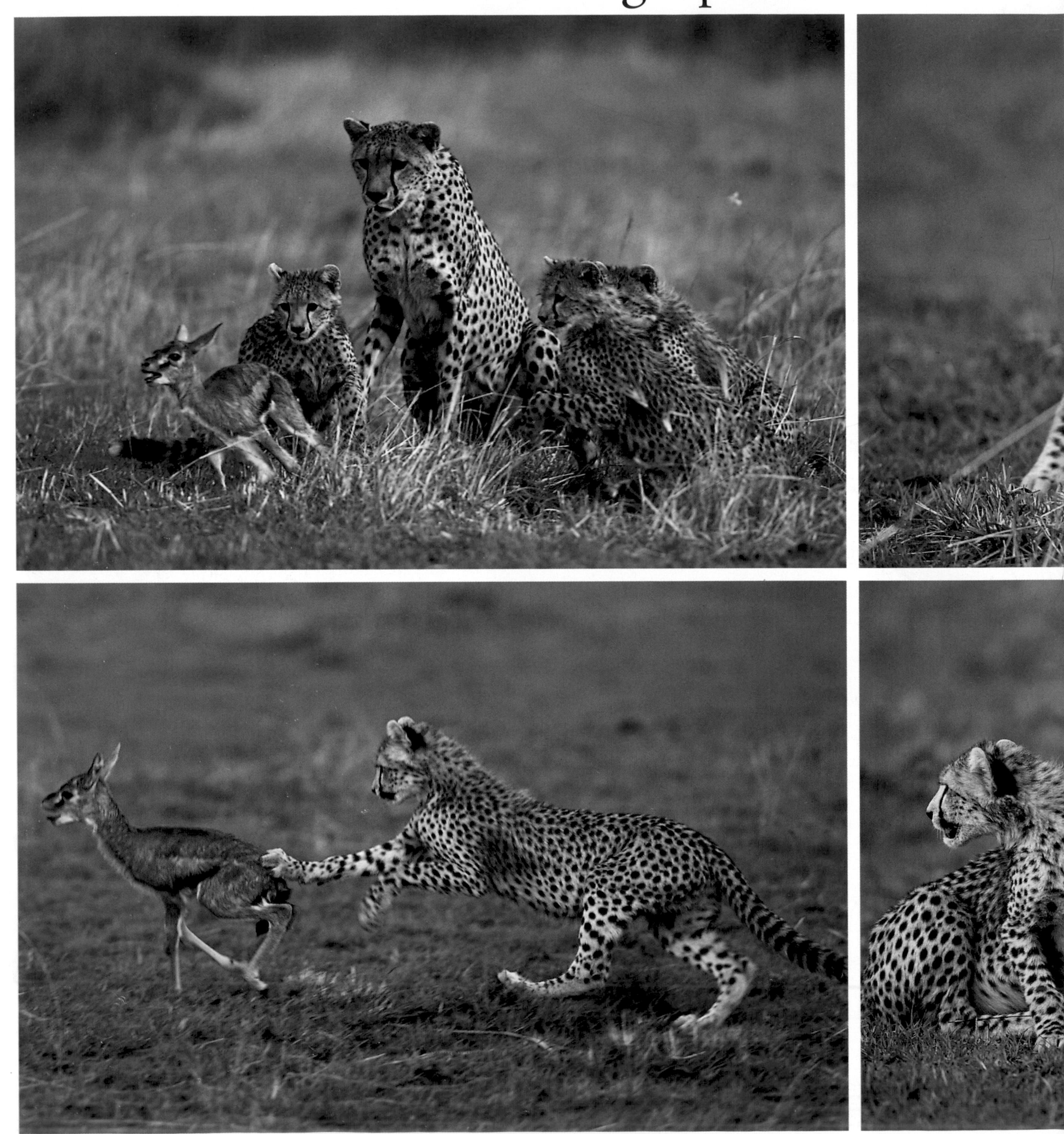

Le meilleur moment pour l'apprentissage de la chasse des jeunes guépards correspond à la période des naissances chez les petites gazelles de Thomson.

La femelle guépard et ses trois jeunes de 5 mois avancent dans la plaine. Les jeunes s'arrêtent et jouent. Pendant ce temps, leur mère a surpris une petite gazelle. Au lieu de l'étouffer comme à son habitude, elle la transporte encore vivante dans sa gueule au pied de sa progéniture. Les jeunes guépards regardent la gazelle immobile, comme en état de choc. Ils ne savent pas trop quoi faire de ce drôle de « jouet ». Soudain, la petite gazelle bondit. Les jeunes félins la poursuivent, l'immobilisent avec leurs pattes. Ils la font ensuite rouler par terre. Ils jouent ainsi longuement sous le regard de leur mère qui les laisse faire. Enfin, elle se décide à tuer elle-même la petite gazelle ; ses jeunes sont encore incapables de le faire eux-mêmes. Puis elle les laisse manger la petite victime.

Les mois passent. Les jeunes guépards savent maintenant étouffer les petites proies. Quand un chacal surgit devant eux, ils se précipitent à toute vitesse derrière l'animal, qui hurle de peur. La mère ne participe pas à cette course, très bonne pour leur entraînement, mais un chacal ne fait pas partie de l'alimentation d'un guépard. Devenir un vrai chasseur, c'est aussi savoir sélectionner ses proies !

La femelle guépard apporte une proie à ses jeunes.

Les nettoyeurs de la savane.

Chacals et vautours s'affrontent régulièrement autour des carcasses. Les chacals chassent aussi des petits animaux et mangent des œufs ou des fruits.

Il est midi. Des lionnes en embuscade viennent de tuer un zèbre venu boire au point d'eau et commencent à le manger. Grâce à leur vue perçante, des vautours repèrent la carcasse depuis les très hautes altitudes où ils évoluent. Ils se déplacent dans les airs en se laissant porter par les courants chauds qui s'élèvent du sol. Les premiers oiseaux se posent. Aussitôt, les lionnes les chassent de leurs repas. Ils s'envolent et se posent sur les arbres aux alentours. D'autres vautours planent au-dessus. Mais un couple de chacals a repéré le manège des rapaces et arrive lui aussi sur les lieux du festin. Adroitement, ces canidés arrivent à dérober des petits morceaux de viande à la barbe des lionnes. Finalement, repues, celles-ci s'éloignent de la carcasse pour aller boire et s'endorment. Les vautours se précipitent aussitôt sur les restes du zèbre. Les chacals, submergés par le nombre, repartent. Les oiseaux nettoient toute la carcasse. Après eux, il ne restera que les os et la peau. Ils empêchent ainsi la propagation des épidémies.

Les vautours passent généralement la nuit au sommet des arbres.

Le chef est une femelle.

La matriarche, à droite, a la peau toute ridée, preuve de son âge déjà avancé. Elle se frotte tendrement contre sa fille. Les éléphants peuvent vivre jusqu'à 65 ans.

La troupe d'éléphants s'est arrêtée. Tous les animaux restent groupés. Ils se flairent, se frottent les uns contre les autres, se touchent avec la trompe. Il n'y a là que des femelles avec leurs jeunes, les mâles devenus adultes étant exclus des troupes. Elles sont toutes parentes : mères, filles, sœurs, cousines... Les liens qui unissent ces femelles sont très forts ; elles ne se quittent pas durant toute leur vie. Soudain, la plus âgée d'entre elles, la matriarche, dresse la trompe, en alerte. Elle se fige. A-t-elle entendu les infrasons émis par une autre troupe, inaudibles pour l'homme ? Puis elle secoue les oreilles et donne le signal du départ. Les éléphants se remettent en marche à sa suite. La matriarche est le chef incontesté et le guide du groupe. Elle sait où trouver les zones de nourriture les plus favorables en fonction de la saison, les derniers points d'eau qui restent en cas de sécheresse, les lieux dangereux, les chemins empruntés depuis des temps immémoriaux par ses ancêtres. Les jeunes femelles de sa famille vont apprendre tout ce savoir à son contact, jour après jour, grâce à leur mémoire très développée.

Les pasteurs Massaï sont souvent en conflit pour des raisons de territoire avec les éléphants.

Parade militaire de flamants.

Les comportements de parade des flamants nains se répètent pendant plusieurs jours. Tous les mâles concernés avancent dans un ordre quasi militaire !

Des milliers de flamants marchent dans le lac aux eaux peu profondes. Campés sur leurs longues pattes, la tête en bas, ils aspirent l'eau dans leur bec. Celui-ci fonctionne comme un filtre. Avec ses lamelles très fines, il ne retient que les algues microscopiques qui constituent la nourriture des flamants. Ces algues se développent de manière extraordinaire dans les eaux riches en sels minéraux des lacs de la faille du rift, réchauffées par le soleil. C'est pour cela que près de trois millions de flamants s'y retrouvent. Ce sont pour la plupart des flamants nains, ainsi appelés car ils sont plus petits que les roses. La coloration de leur plumage vient des pigments contenus dans les algues qu'ils consomment en très grande quantité.

D'autres flamants mangent en nageant. Soudain, un aigle pêcheur vole au-dessus d'un groupe. Aussitôt, l'alerte est donnée. Des centaines d'oiseaux courent tous ensemble pour prendre leur envol. La panique gagne de rang en rang. Mais l'aigle passe et le calme revient. Quelques mâles se rassemblent autour d'une femelle. Puis des centaines d'autres les rejoignent et paradent avec eux, dessinant une tache plus rouge sur le lac. Tout cela s'accompagne d'une formidable clameur.

Le marabout est l'un des prédateurs du flamant.

Plus il bâille, plus il domine !

Seuls les mâles dominants ouvrent leur mâchoire à plus de 150 degrés. Plus le bâillement est imposant, plus l'hippopotame est haut dans la hiérarchie.

Dans la boucle de la rivière se tiennent une centaine d'hippopotames. Un jeune mâle décide de changer de place. Mécontent, un adulte se dresse face à lui et ouvre une gueule démesurée, laissant apparaître ses imposantes canines. Celles-ci grandissent durant toute la vie de l'animal et constituent des armes redoutables. Intimidé, le jeune hippopotame éclabousse l'autre de son crottin pour marquer sa soumission. Chacun a dans l'eau une place bien déterminée. Les femelles et les jeunes sont au cœur du groupe. Tout autour se trouvent les mâles adultes, les plus proches des femelles étant les plus hauts dans la hiérarchie.

Soudain, deux grands mâles se font face. Dans un bouillonnement d'écume, ils se précipitent l'un sur l'autre en hurlant. Par de violents coups de tête, ils cherchent à enfoncer leurs canines dans le corps de l'adversaire. L'épaisse couche de graisse qui les recouvre les protège un peu, mais les blessures mortelles sont fréquentes. Finalement, le plus faible s'éloigne. De temps à autre, un mâle dominant sort sur la berge pour marquer son territoire. Il disperse alors partout ses excréments en faisant de grands moulinets avec sa queue...

Hors de l'eau, le mâle dominant marque son territoire avec son crottin.

REMERCIEMENTS

Un grand merci
à tous les animaux de la savane africaine avec lesquels nous vivons depuis de nombreuses années,
à toute l'équipe des éditions de La Martinière Jeunesse et à Benoît Nacci.

Les photographies de ce livre ont été réalisées avec du matériel Canon.
Les images de Christine et Michel Denis-Huot sont distribuées par eux-mêmes et par les agences Bios et Hoa-Qui.
Elles sont aussi visibles sur le site www.denis-huot.com.
Contact : denishuot@aol.com

Conforme à la loi 49-956 du 16 juillet 1949 sur les publications destinées à la jeunesse

ISBN : 2-7324-3029-3
Dépôt légal : septembre 2003
Imprimé chez Proost en Belgique